T
A
B

T
A
B

T
A
B

T
A
B

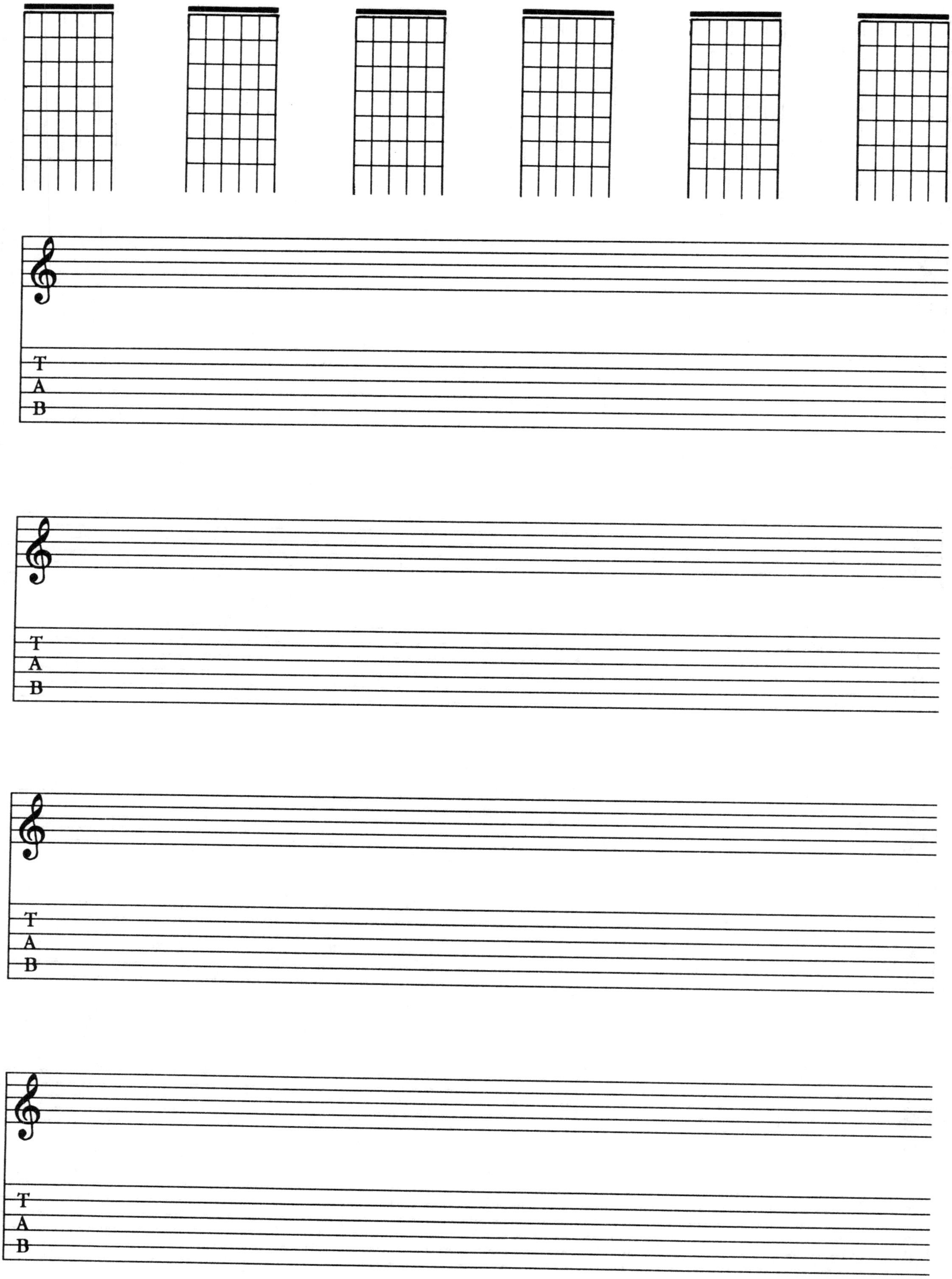
T
A
B
T
A
B
T
A
B
T
A
B

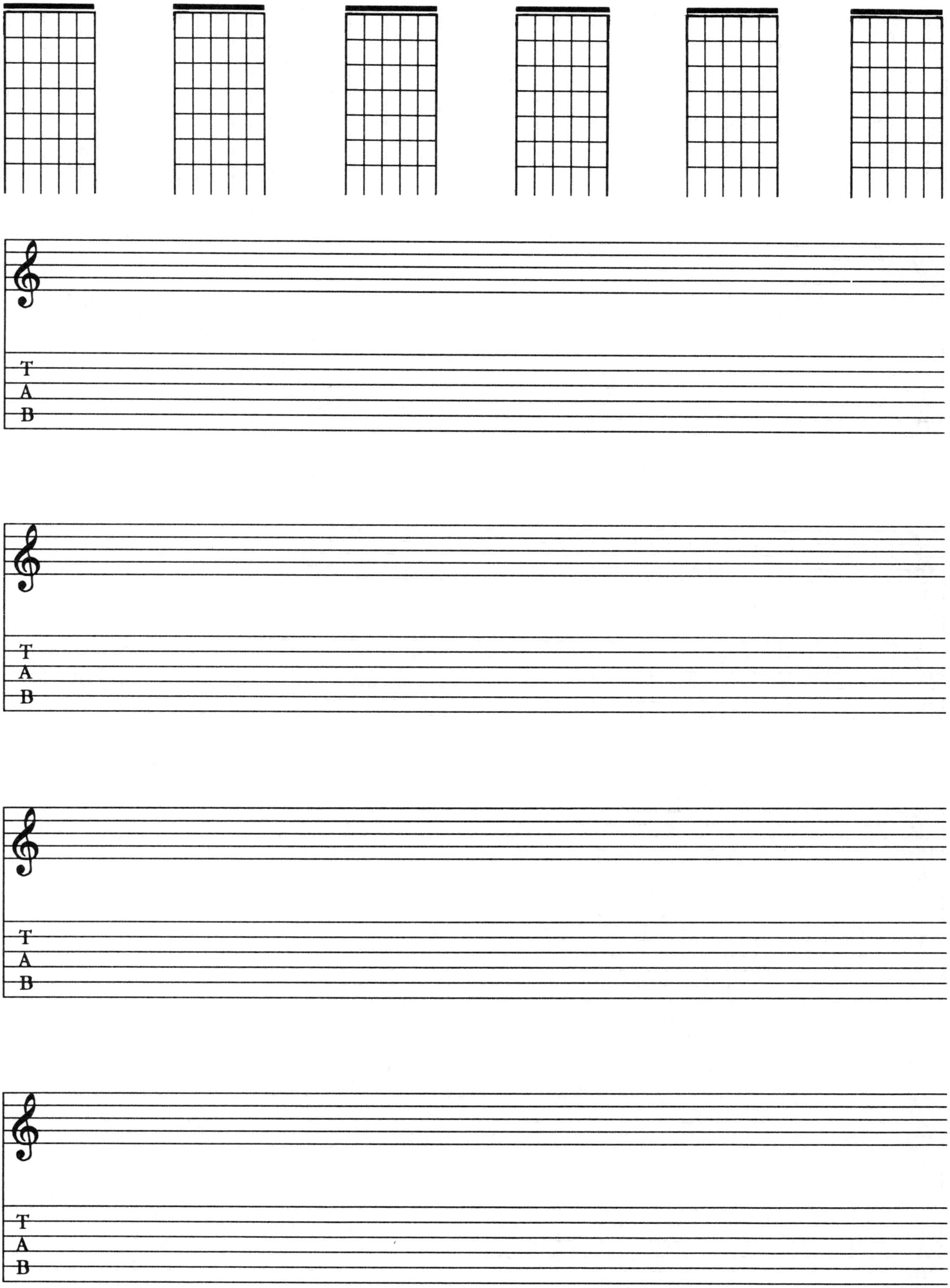
T
A
B
T
A
B
T
A
B
T
A
B

T
A
B
T
A
B
T
A
B
T
A
B

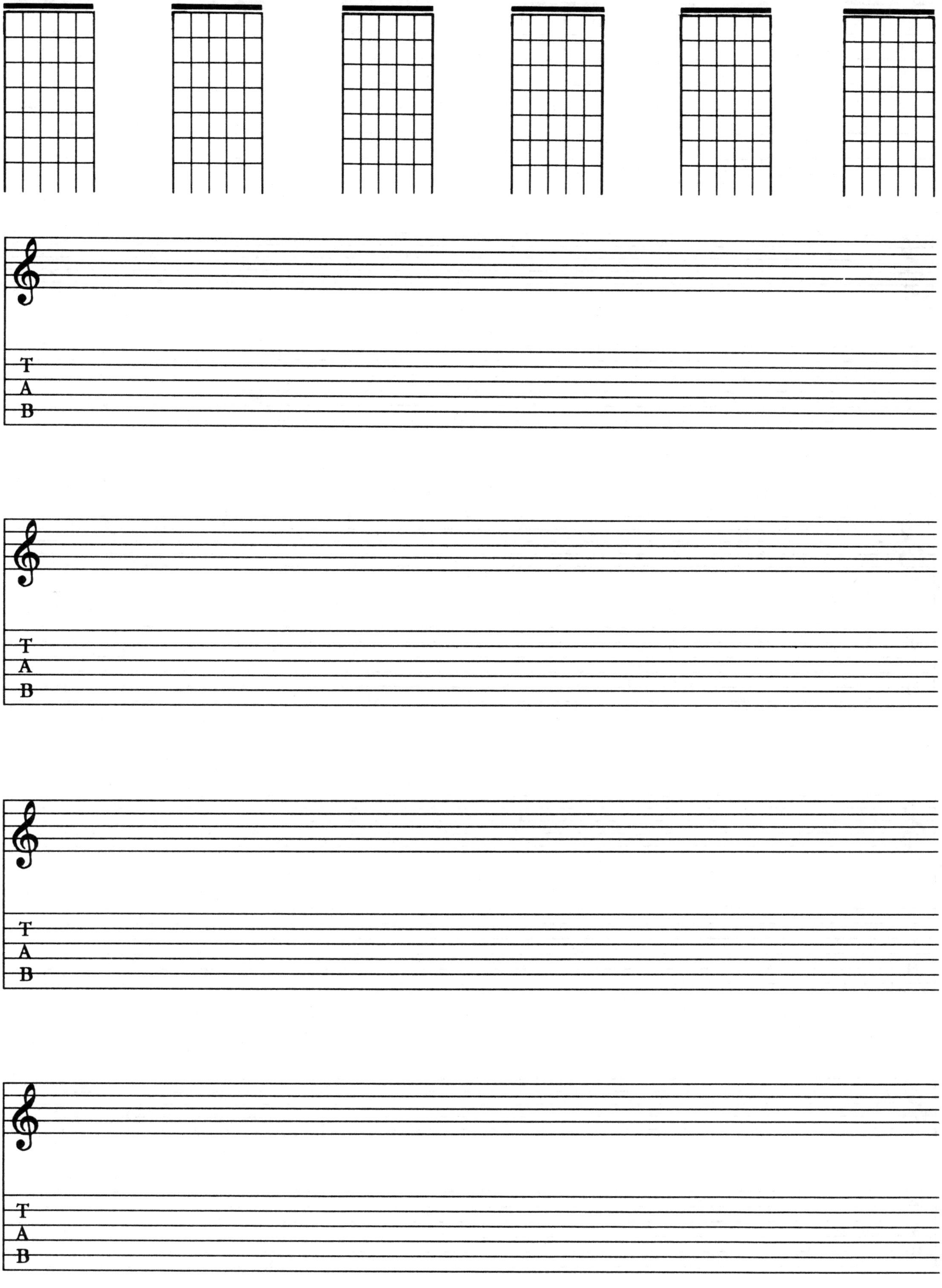
T
A
B
T
A
B
T
A
B
T
A
B

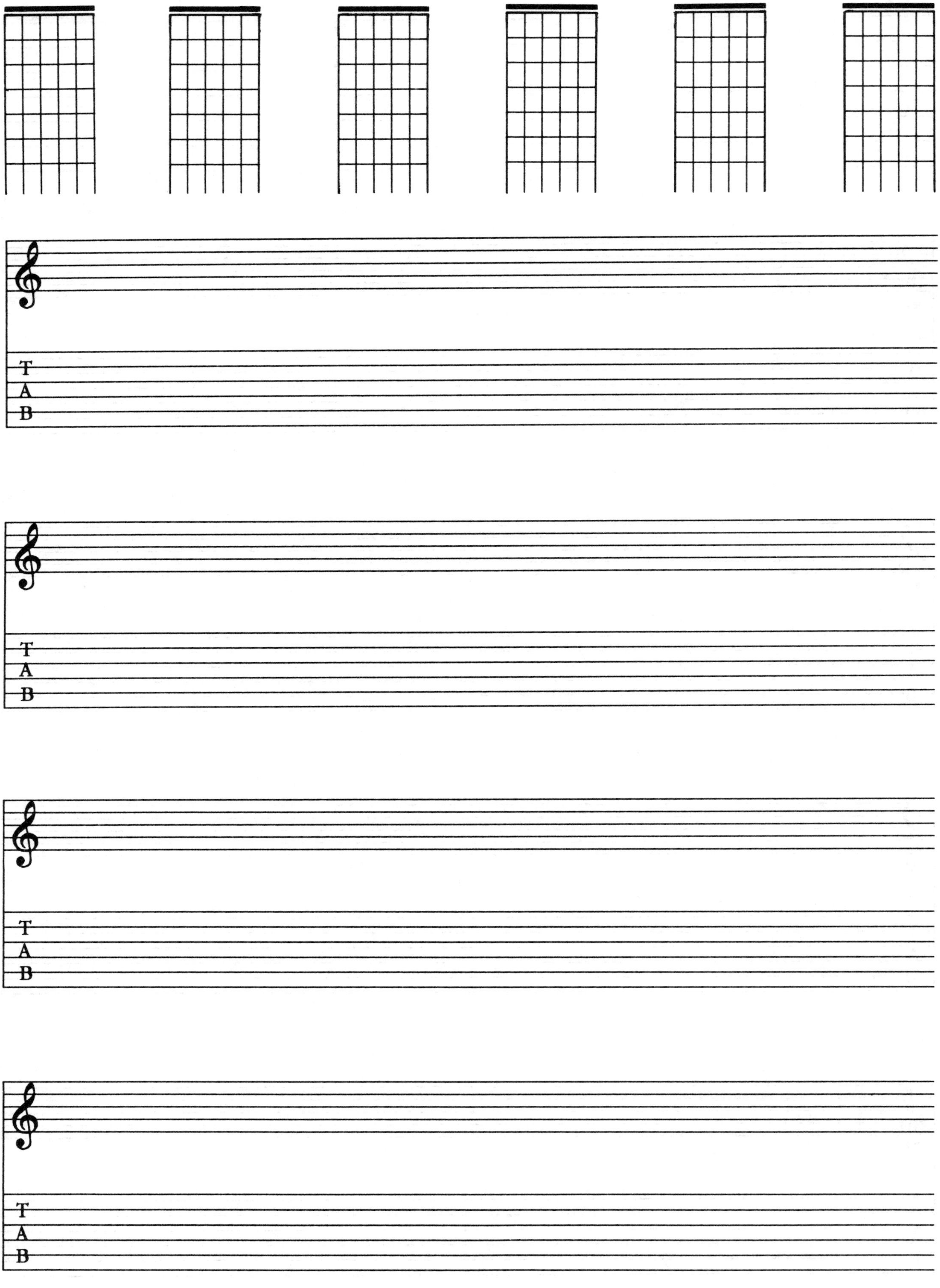
T
A
B
T
A
B
T
A
B
T
A
B

T
A
B
T
A
B
T
A
B
T
A
B

T
A
B

T
A
B

T
A
B

T
A
B

T
A
B

T
A
B

T
A
B

T
A
B

T
A
B

T
A
B

T
A
B

T
A
B

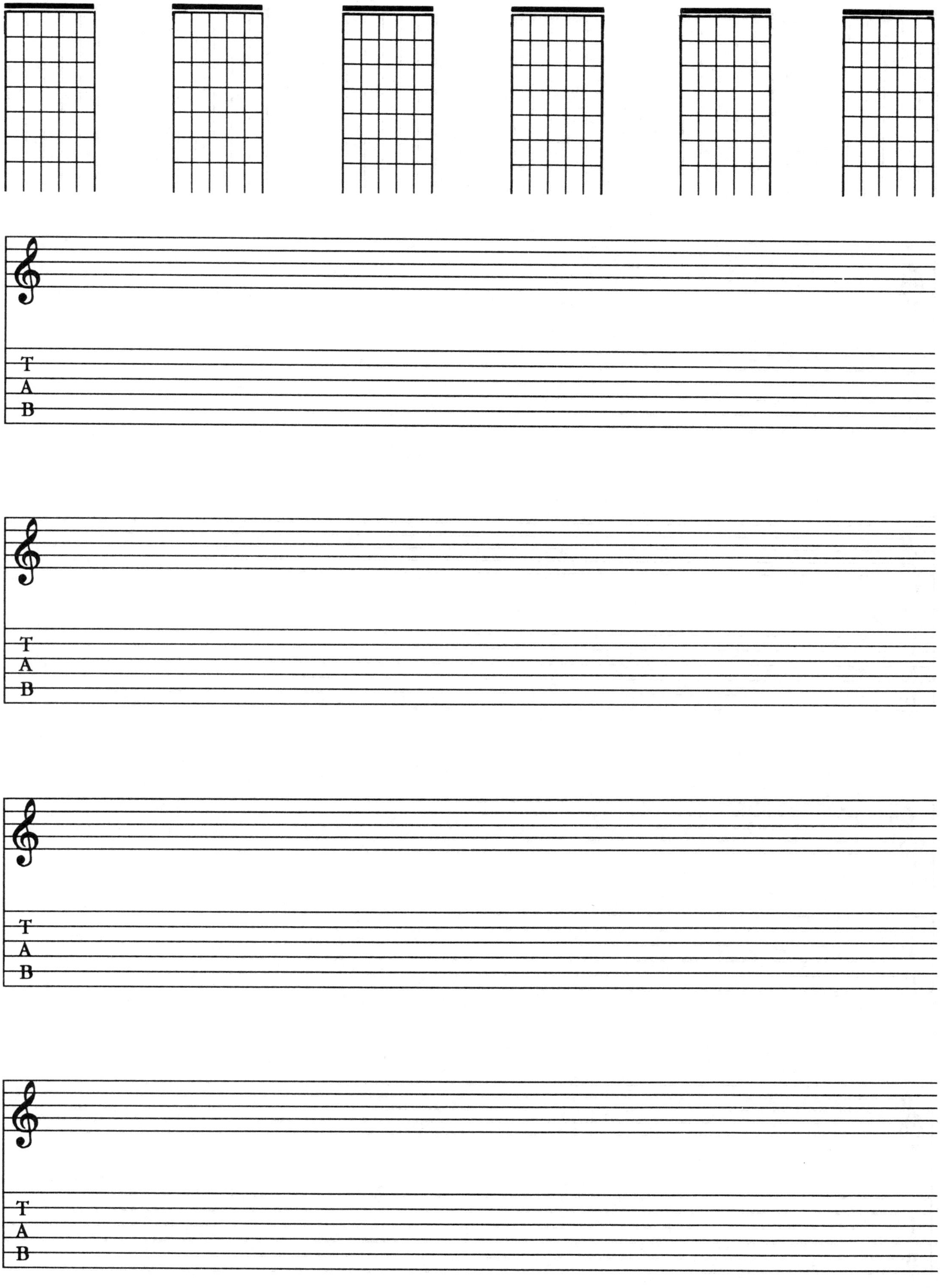
T
A
B
T
A
B
T
A
B
T
A
B

T
A
B
T
A
B
T
A
B
T
A
B

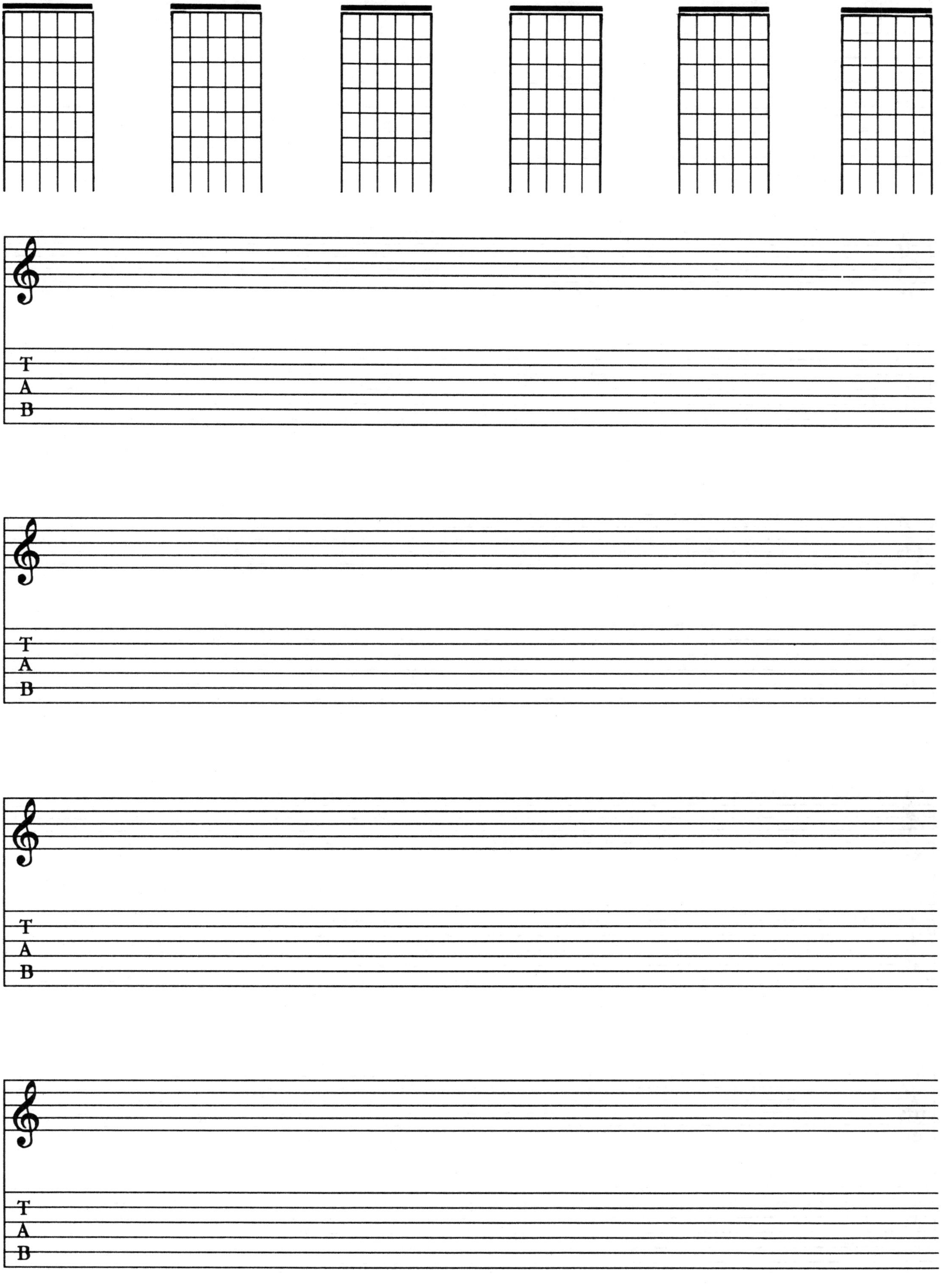
TAB
TAB
TAB
TAB

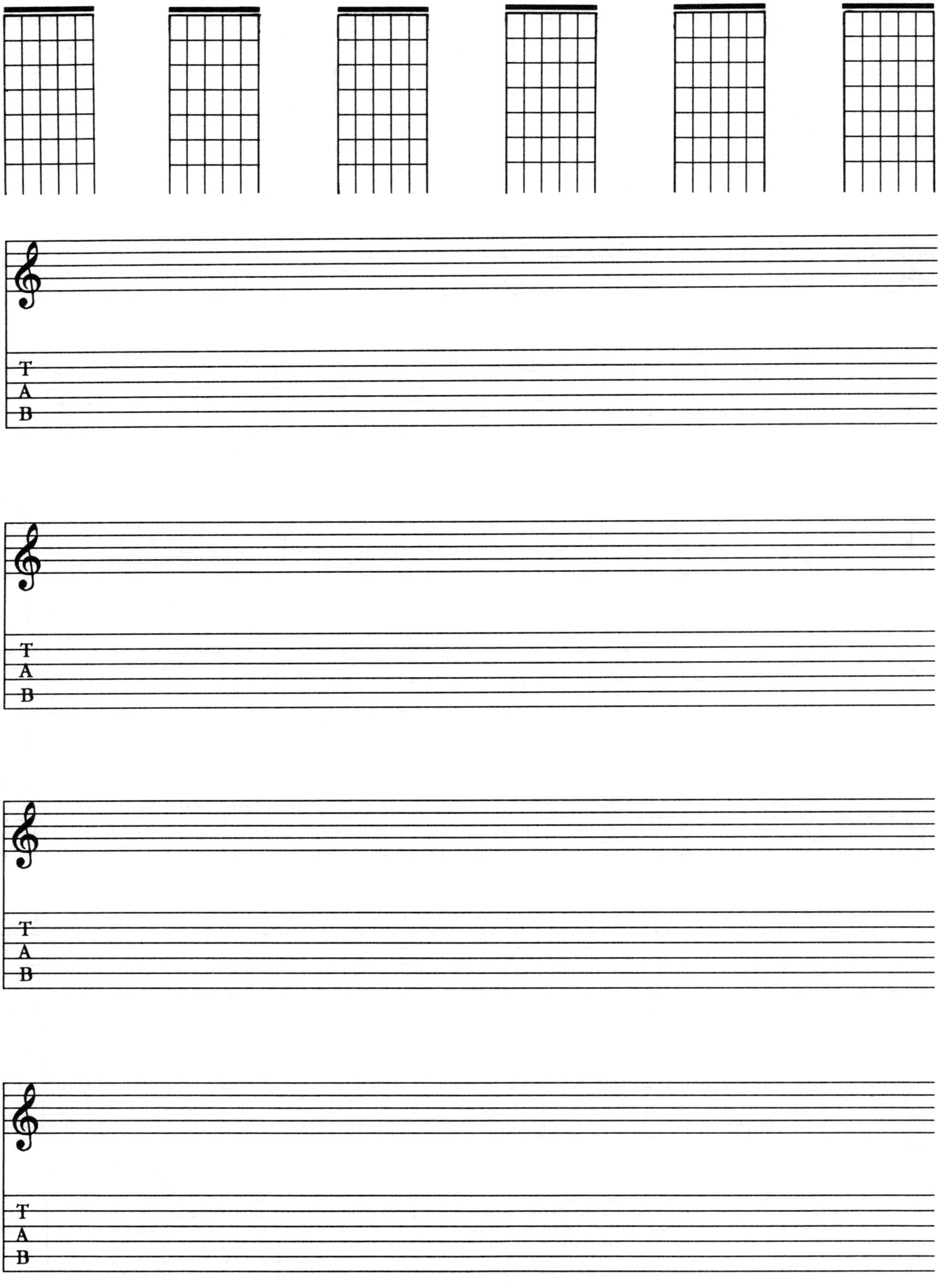
T
A
B
T
A
B
T
A
B
T
A
B

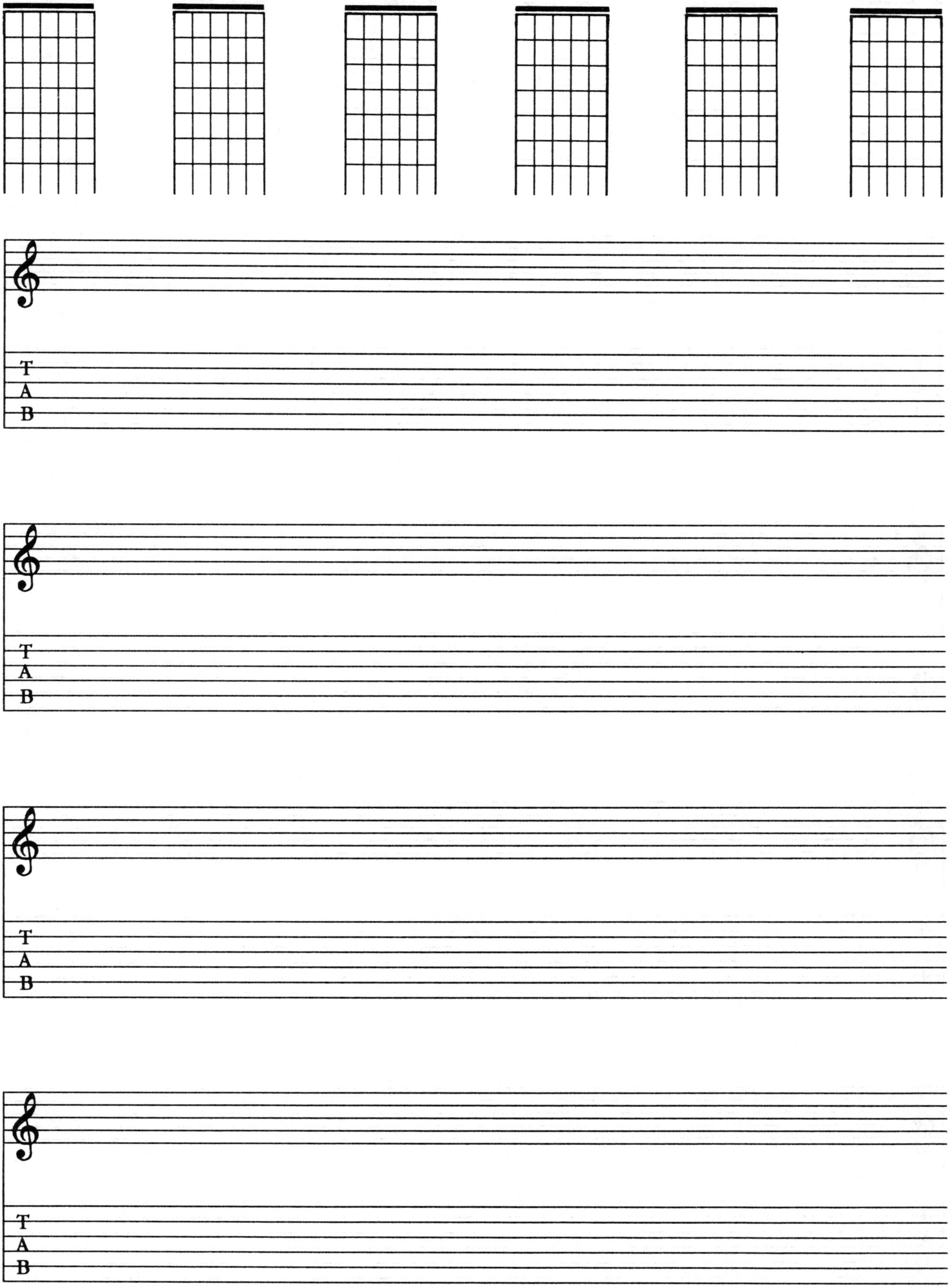
T
A
B
T
A
B
T
A
B
T
A
B

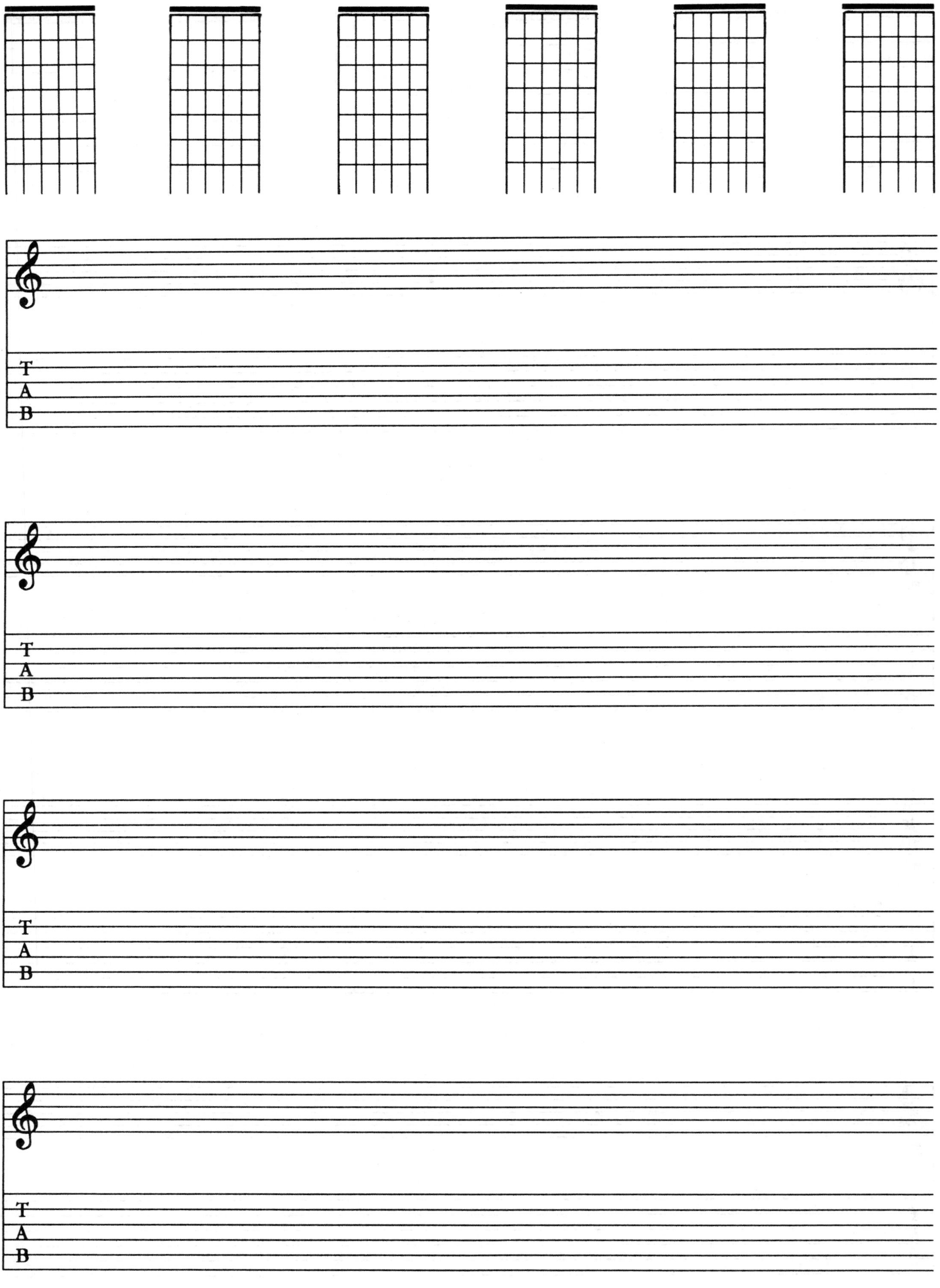
T
A
B
T
A
B
T
A
B
T
A
B

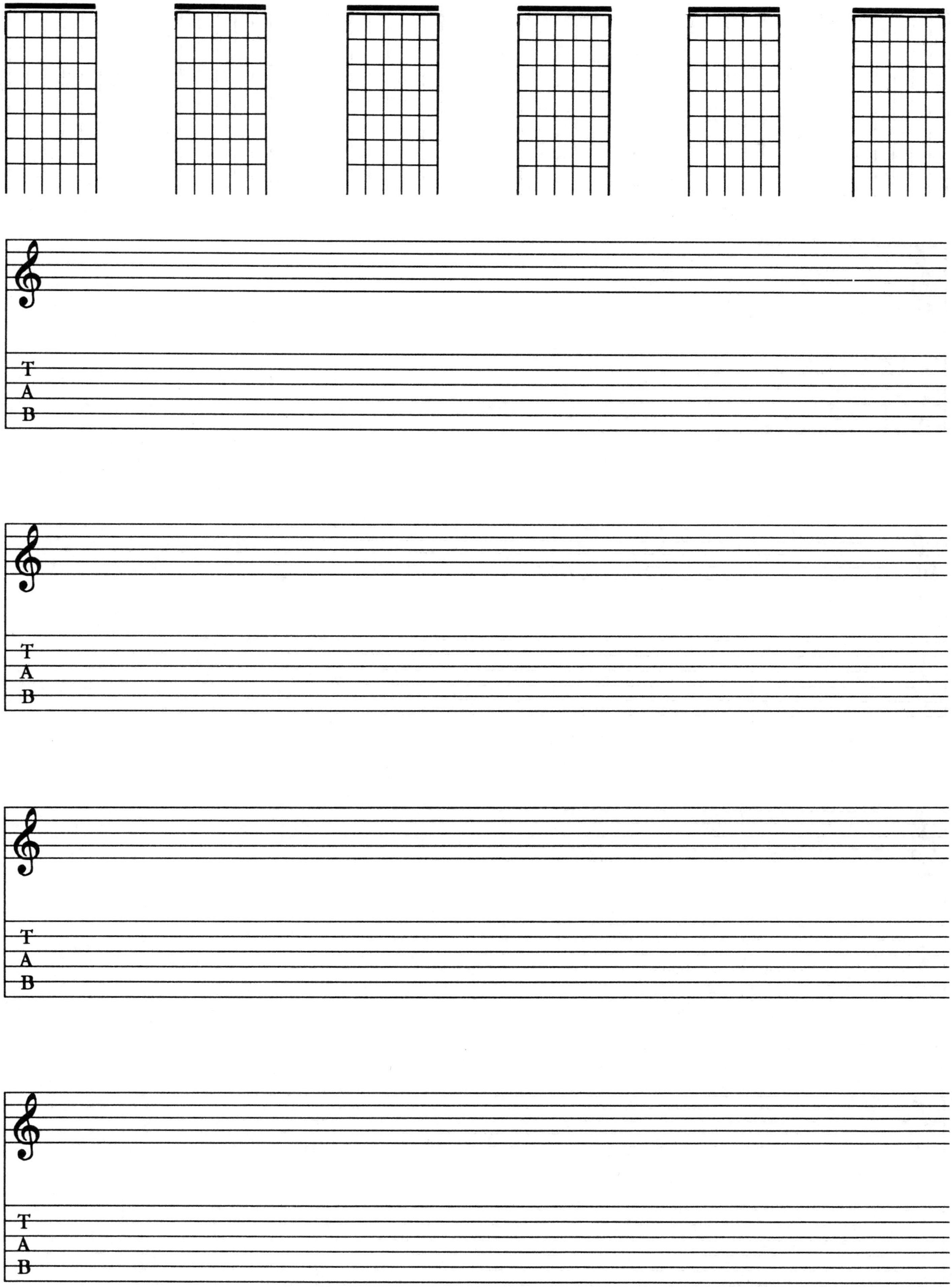
T
A
B
T
A
B
T
A
B
T
A
B

T
A
B
T
A
B
T
A
B
T
A
B

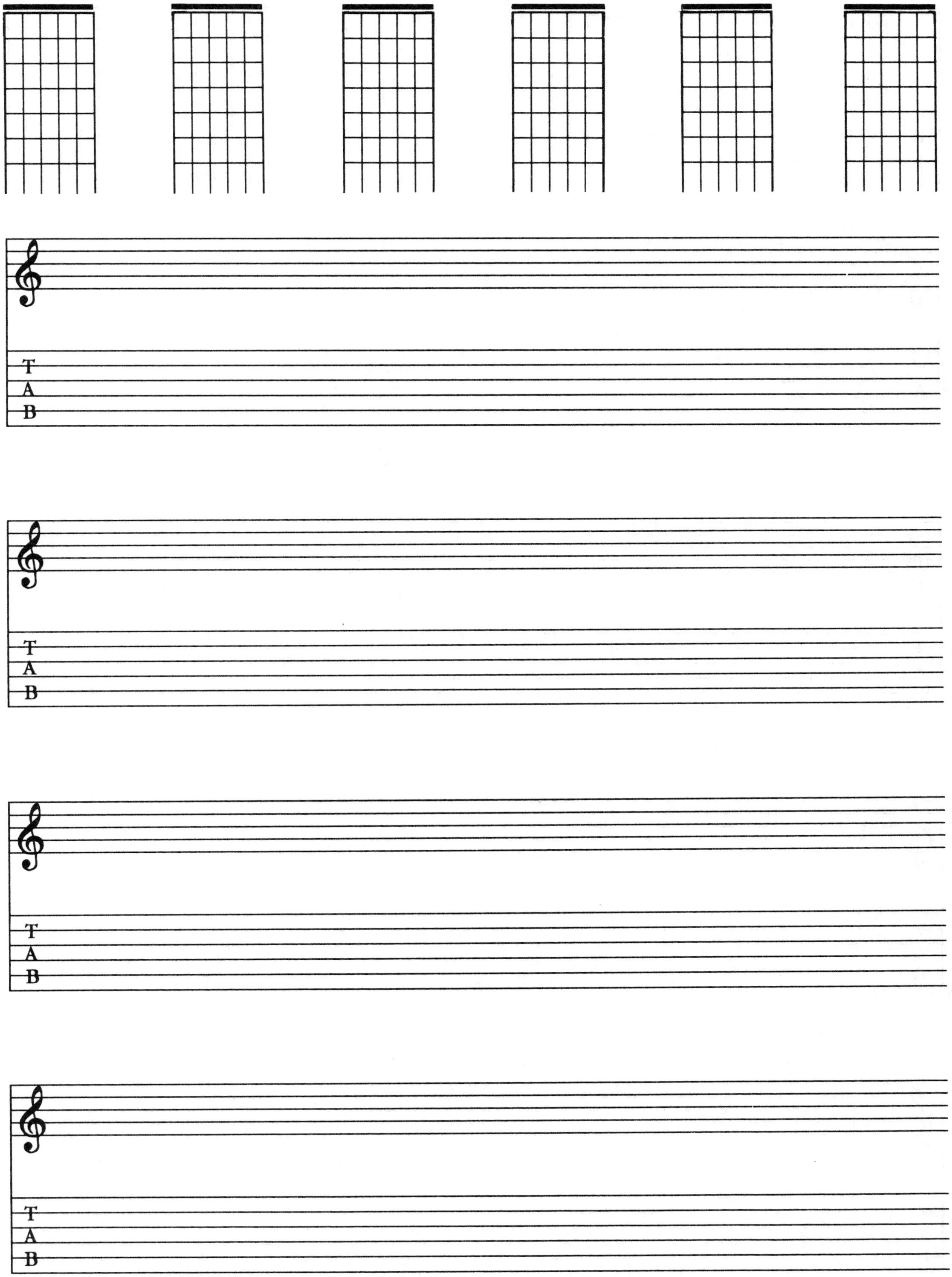
T
A
B
T
A
B
T
A
B
T
A
B

T
A
B
T
A
B
T
A
B
T
A
B

T
A
B

T
A
B

T
A
B

T
A
B

T
A
B

T
A
B

T
A
B

T
A
B

T
A
B

T
A
B

T
A
B

T
A
B

T
A
B

T
A
B

T
A
B

T
A
B

T
A
B

T
A
B

T
A
B

T
A
B

T
A
B

T
A
B

T
A
B

T
A
B

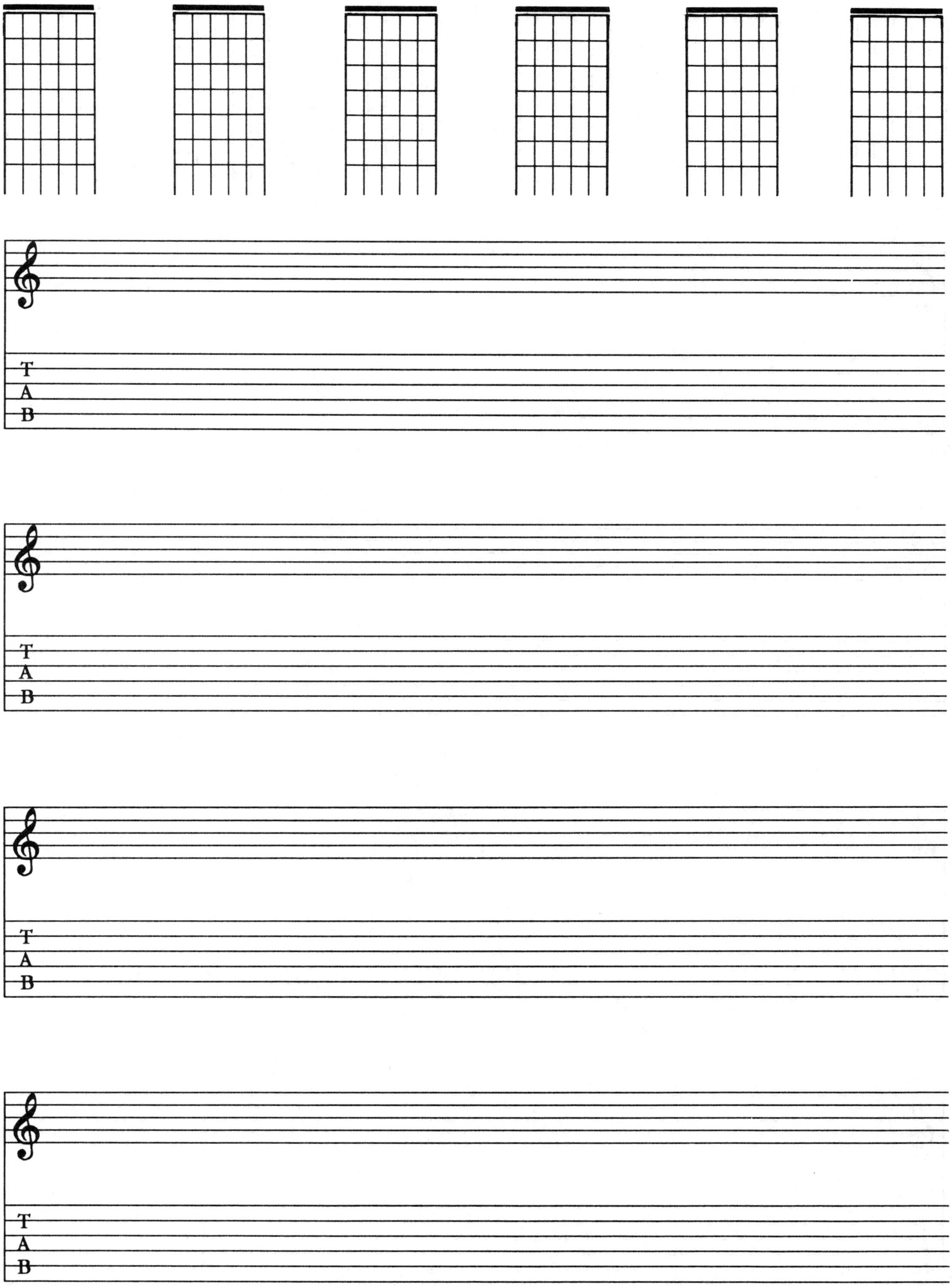
T
A
B
T
A
B
T
A
B
T
A
B

T
A
B

T
A
B

T
A
B

T
A
B

T
A
B

T
A
B

T
A
B

T
A
B

T
A
B
T
A
B
T
A
B
T
A
B

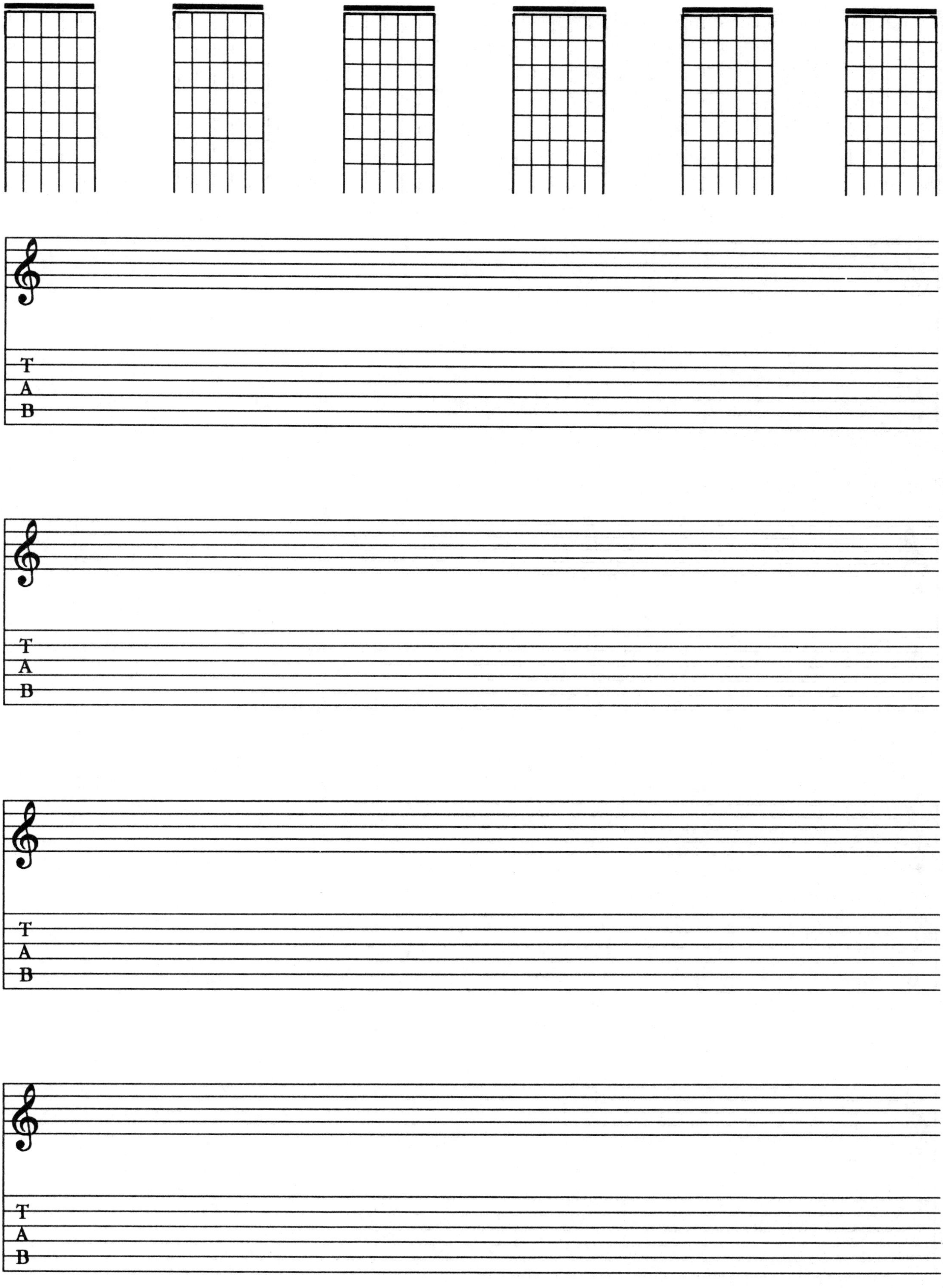
T
A
B
T
A
B
T
A
B
T
A
B

T
A
B
T
A
B
T
A
B
T
A
B

T
A
B
T
A
B
T
A
B
T
A
B

T
A
B

T
A
B

T
A
B

T
A
B

T
A
B

T
A
B

T
A
B

T
A
B

T
A
B

T
A
B

T
A
B

T
A
B

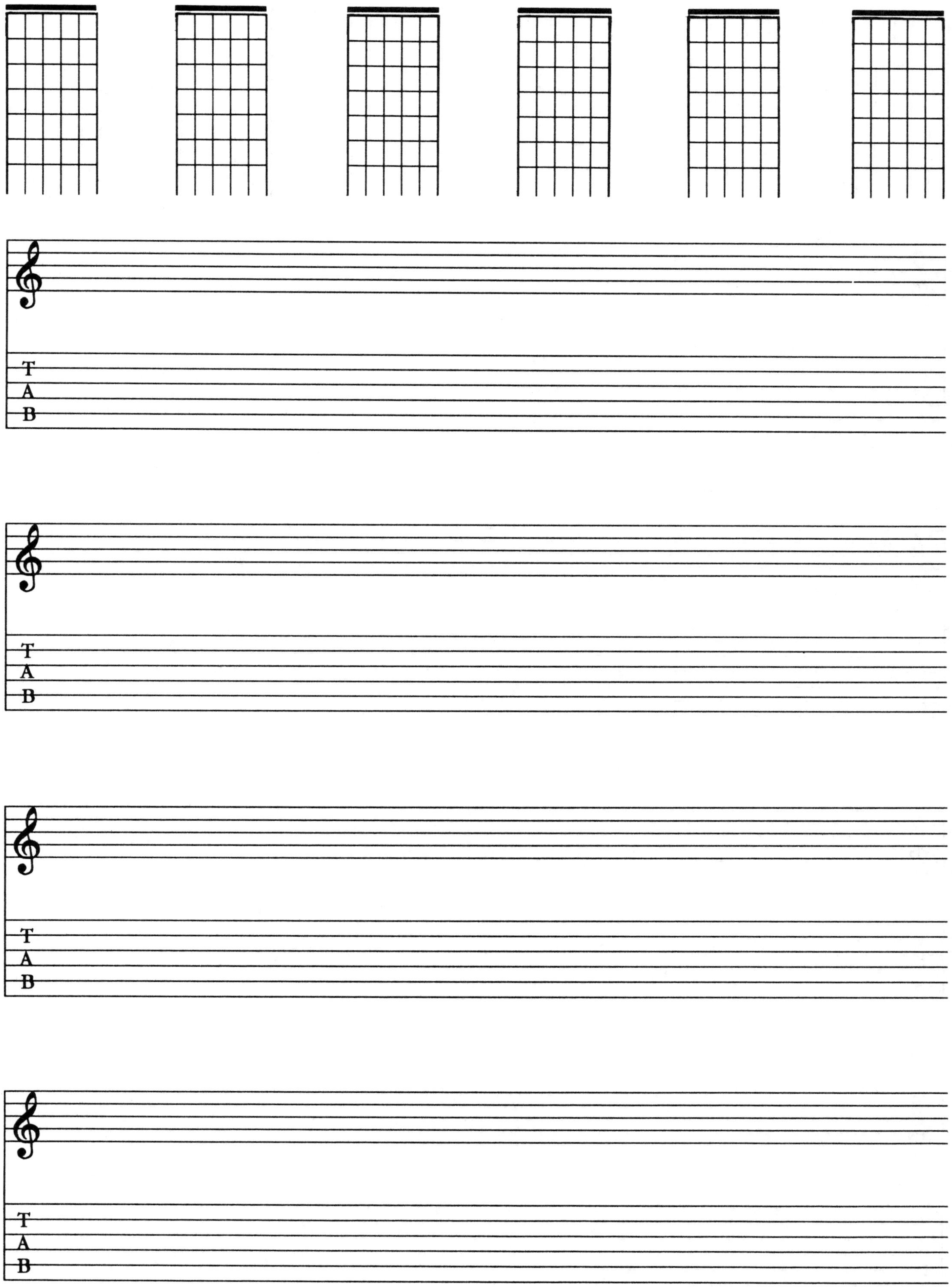
T
A
B
T
A
B
T
A
B
T
A
B

T
A
B

T
A
B

T
A
B

T
A
B

T
A
B

T
A
B

T
A
B

T
A
B

T
A
B
T
A
B
T
A
B
T
A
B

T
A
B

T
A
B

T
A
B

T
A
B

T
A
B

T
A
B

T
A
B

T
A
B

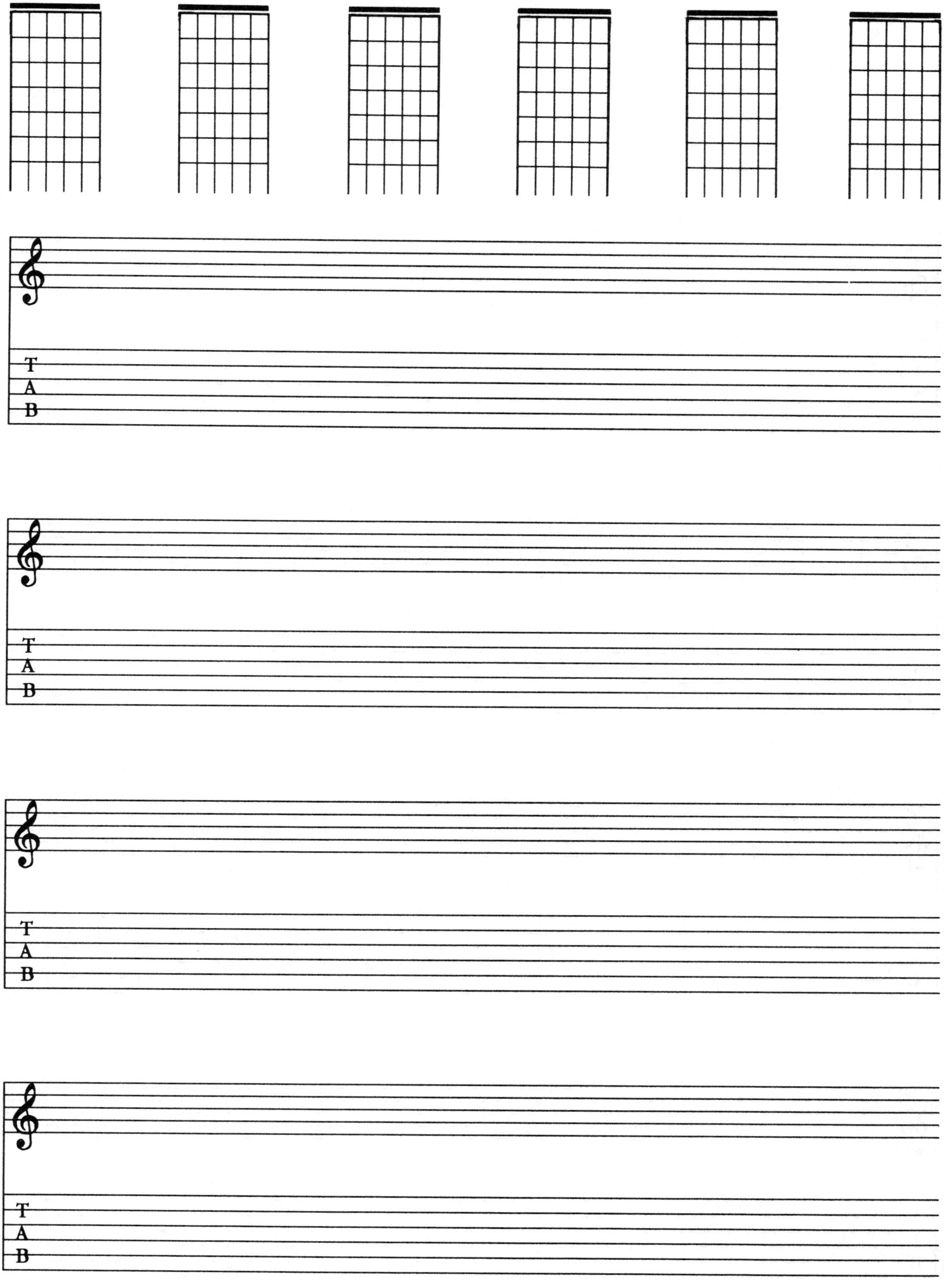
T
A
B
T
A
B
T
A
B
T
A
B

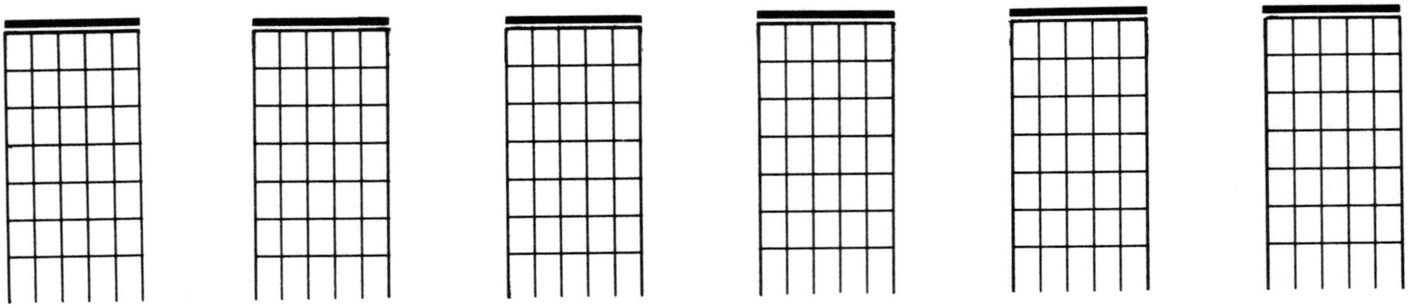

T
A
B
T
A
B
T
A
B
T
A
B

T
A
B

T
A
B

T
A
B

T
A
B

T
A
B

T
A
B

T
A
B

T
A
B

T
A
B

T
A
B

T
A
B

T
A
B

T
A
B

T
A
B

T
A
B

T
A
B

T
A
B

T
A
B

T
A
B

T
A
B

T
A
B

T
A
B

T
A
B

T
A
B

T
A
B

T
A
B

T
A
B

T
A
B

T
A
B

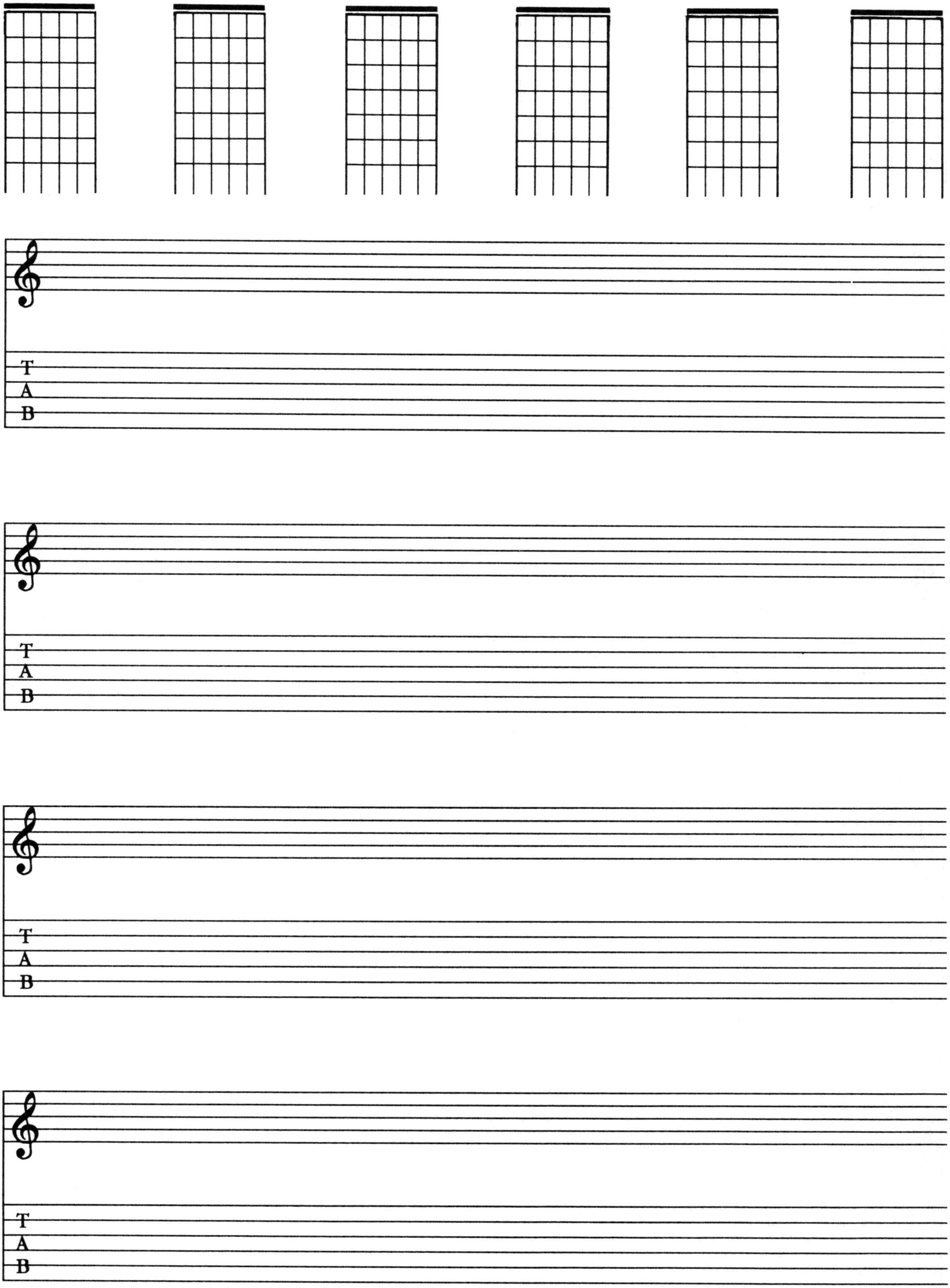
T
A
B
T
A
B
T
A
B
T
A
B

T
A
B

T
A
B

T
A
B

T
A
B

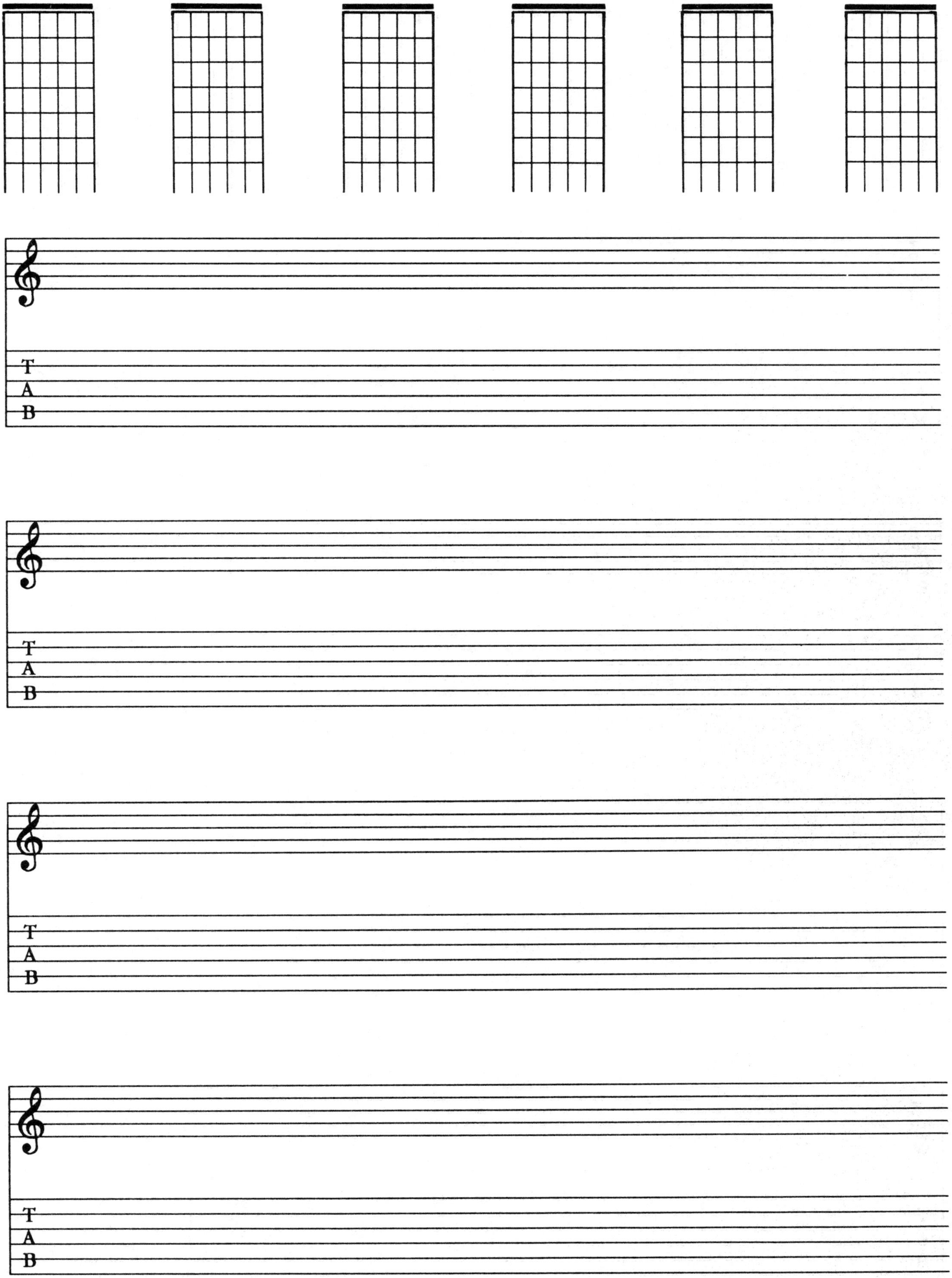
T
A
B
T
A
B
T
A
B
T
A
B

T
A
B
T
A
B
T
A
B
T
A
B

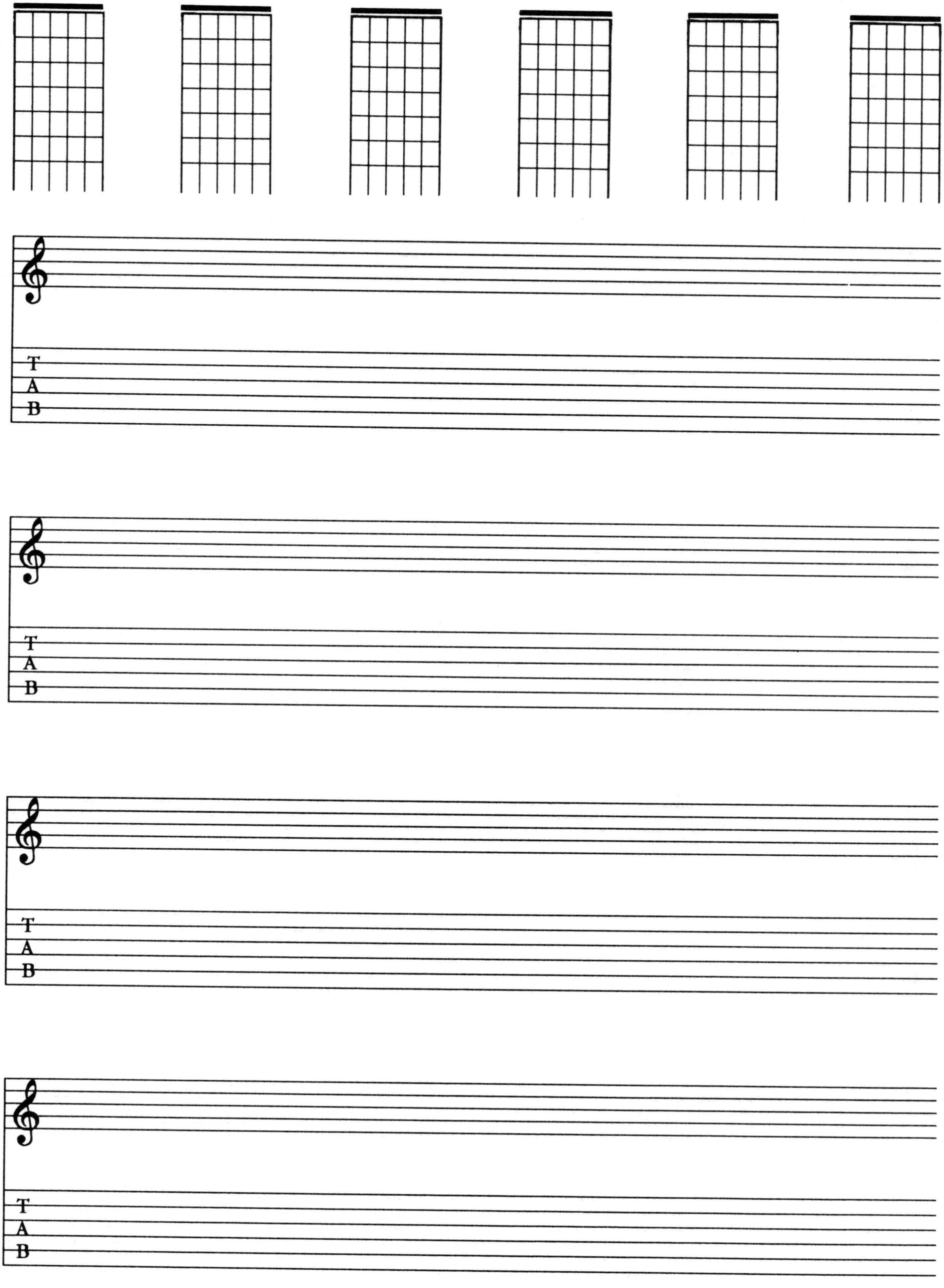
T
A
B
T
A
B
T
A
B
T
A
B

T
A
B
T
A
B
T
A
B
T
A
B

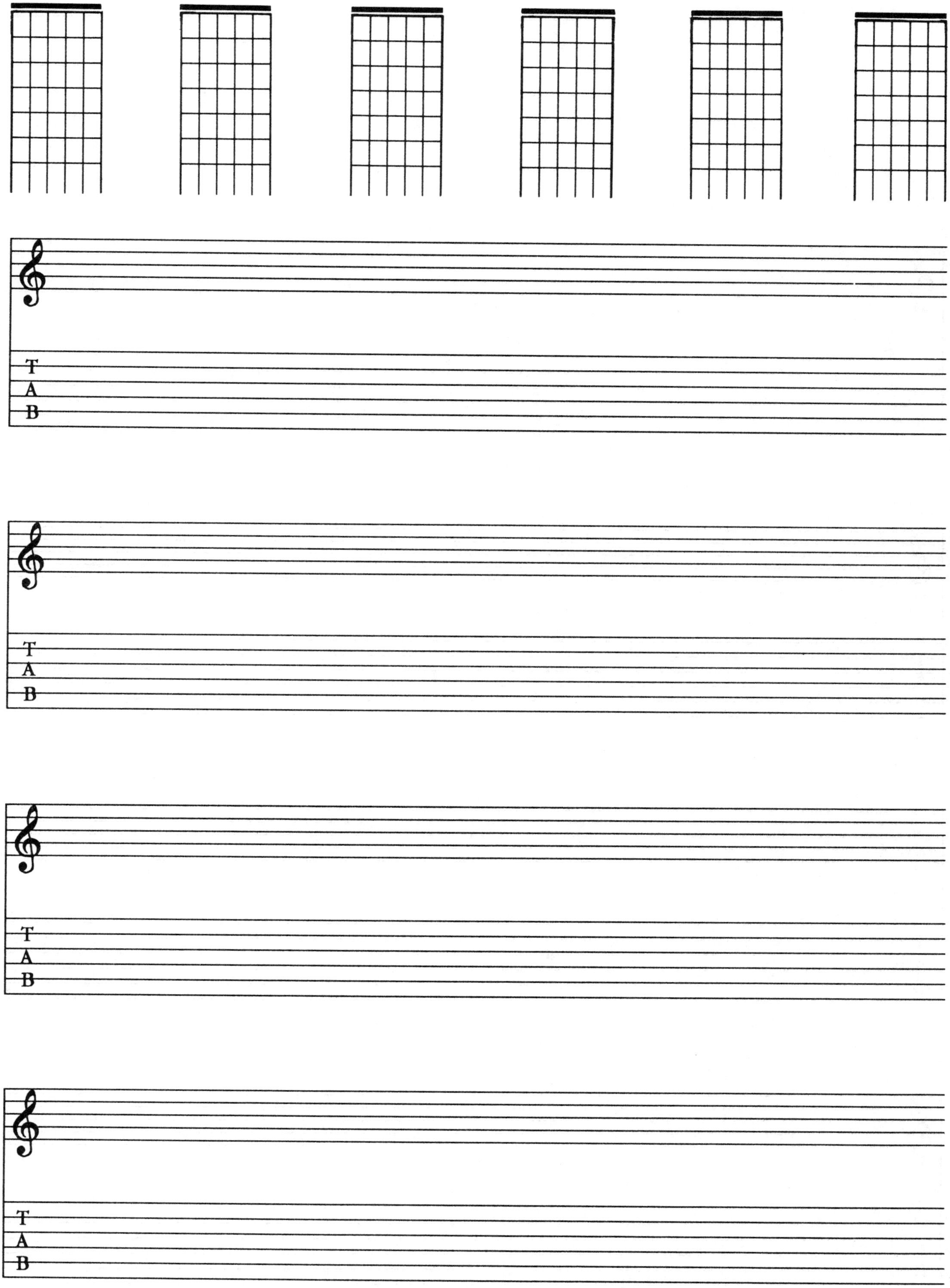
TAB
TAB
TAB
TAB

T
A
B
T
A
B
T
A
B
T
A
B